유독 어려운 영어 시제 만!

English Verb Tenses

쌤쌤(류영만) 지음

유독 어려운 영어 시제만!

발 행 | 2023년 12월 12일
저 자 | 류영만
펴낸이 | 한건희
펴낸곳 | 주식회사 부크크
출판사등록 | 2014.07.15(제2014-16호)
주 소 | 서울특별시 금천구 가산디지털1로 119 SK트윈타워 A동 305호
전 화 | 1670-8316
이메일 | info@bookk.co.kr
ISBN | 979-11-410-5679-7
www.bookk.co.kr

유독 어려운

영어 시제

만!

여는 글

이 책은 영어시제에 관한 책입니다. 책 제목에서 짐작하셨듯이 다른 건 건드리지 않고, 오로지 영어시제만 간단하게 정리해보려고 합니다. 영어를 배울 때 가장 혼동되고 어렵게 느껴지는 부분 중에 하나가 시제였고, 영어를 가르칠 때도 설명하기 어려운 부분 중 하나가 역시 시제였습니다. 시제가 유독 어렵게 여겨지는 이유는 무엇일까요? 당연히 우리말과는 다른 체계를 가지고 있기 때문일 것입니다. 그러나 어렵다고 해서 소홀히 할 수는 없습니다. 영어로 의사소통을 위해서는 문장으로 된 영어를 이해하거나 문장을 만들어 표현을 해야 하는데, 이 때 반드시 동사가 들어가고 동사는 시제라는 문법범주 안에서 사용되어야만 하기 때문입니다. 그러니 시제를 제쳐두고 영어를 할 수는 없습니다.

이렇게 중요하다고 생각되니 특별한 관심을 가지고 살펴보게 되었습니다. 여러 차례 관련된 책을 찾아서 읽어보고 시제부분만 뽑아서 강의를 하다 보니 나름의 결론에 도달하게 되었고, 그 내용을 이 작은 책에 담아 세상에 내어 놓게 되었습니다.

　시제는 너무 깊이 파헤치면 딱딱한 공부처럼 되어 실제 사용은 못 한 채 머리만 아프게 되고, 그렇다고 적당히 설렁설렁 넘어가버리면 시제가 주는 재미(?)를 많이 놓치게 되어버립니다. 핵심적이면서도 꼭 필요한 부분만 익혀두면 웬만한 영어사용에는 큰 무리가 없겠다는 생각이 들어서 나름의 기준을 가지고 내용들을 구성해보았습니다.

　영어시제가 아직 헷갈리시거나 다 알고 계셔도 한번 정리를 해보고 싶으신 분들께서 이 책을 읽어보시면 좋겠습니다. 가볍게 읽어 보시되, 가볍지만은 않은 새로운 깨달음도 얻어가시면 저에게도 큰 보람이 될 것 같습니다.

2023년 겨울
파주에서
류영만

목차

Language is learned by using it.

시제이야기

시제란?

시제라는 말을 표준국어 대사전에서 찾아보니 '어떤 사건이나 사실이 일어난 시간 선상의 위치를 표시하는 문법범주'라고 설명하고 있습니다. 영어로는 tense인데, Cambridge Dictionary에서는 'the form of a verb that shows the time at which an action happened' 이렇게 정의 내리고 있습니다.

우리말로 보나 영어로 보나 한번에 쏙 들어오는 내용은 아닌 것 같습니다. 다만 동사가 시간과 관련이 있다는 것은 분명해 보이니 이 부분에 중점을 두고 접근해 보려고 합니다. 우리말도 마찬가지지만 동사라는 품사는 문장 안에서 사용될 때 원래 모양 그대로 쓰지 않고 변형이 된다는 특징이 있습니다.

- 나 어제 친구들과 저녁을 <u>먹었어.</u>
- 지금 밥 <u>먹는 중인데.</u>
- 내일은 가족들과 간만에 피자를 <u>먹을 거야.</u>

예문에서 보듯이 '먹다'라는 동사는 원형에서 모양이 바뀌어 나타나는데 이는 동사가 시간의 영향을 받기 때문에 그렇습니다. 그래서 저는 시제를 이렇게 정의 내리고 싶습니다. <u>동사가 시간의 영향을 받아 그 형태가 변형하는 것, 다시 말해 동사의 형태를 변형시켜 시간표현을 하는 것을 문법적 용어로 시제</u>라고 합니다. 사실 한국어를 모국어로 사용하는 우리에게 시제는 평상시에 신경도 쓰지 않는 부분입니다. 조금 신경을 써서 살펴보면 과거, 현재, 미래 이렇게 3종류가 있다고 얘기합니다. 근데 영어는 조금 복잡합니다. 그래서 정리가 필요합니다.

한국어를 배우는 외국인이 '먹다'라는 동사를 마음대로 변형하여 사용할 수 있다면 훌륭한 한국어 실력을 갖췄다고 봐도 좋을 것입니다. 반대로 우리도 영어를 시제에 맞게 동사활용을 잘 할 수 있다면 괜찮은 영어를 구사하는 수준에 이른 것입니다. 영어로 제대로 된 의사소통을 하려면 단어만으로는 부족합니다. 문장을 만들어서 표현해야 하는데 문장 안에는 반드시 동사가 들어가고 동사는 시간의 영향을 받아서 표현될 수 밖에 없습니다. 그래서 시제를 그냥 넘어갈 수가 없습니다. 너무나 기본적이면서도 매우 중요한 부분이 바로 시제인 것입니다.

2시제 vs 12시제

시제가 영어사용에 있어서 중요한 만큼이나 원어민 사이에서도 다양한 의견들이 존재해왔습니다. 전통적으로 익숙한 건 12시제인데, 다른 한 쪽에서는 2시제론을 주장하기도 합니다. '동사를 변형하여 시간을 표현한다'라고 시제를 정의 내리는 측면에서 보면 맞는 주장입니다. 미래시제로 알고 있는 〈I will have dinner〉라는 문장을 보면, have라는 동사가 변형이 되지 않고, 조동사 will을 가져와서 미래를 표현합니다. 동사 변형을 통한 시간 표현은 아니기에 현재형과 과거 형만 시제에 해당된다고 주장하는 것입니다. 이런 측면에서 보면 우리가 12시제라고 알고 있었던 것은 12시제가 아닌 12가지 시간표현 동사 형태라고 볼 수 있는 것입니다. 엄밀히 얘기하면 그렇다는 것입니다.

여기서 한번 생각해 봐야 합니다. 우리는 왜 시제를 공부하려고 하는 걸까요? 동사가 변형이 되던 조동사가 붙던, 상황에 맞게 적절한 시간을 표현해볼 수 있는 것이 중요합니다. 시제와 관련하여 2시제론 말고도 다른 이론을 주장하시는 학파들도 있지만 일일이 열거하지는 않겠습니다. 전문적인 연구는 학자들에게 맡기고, 대신 우리는 기존에 알고 있던 12가지 형태를 훑어보면서 각각의 형태들을 어느 때 사용하는지 하나 하나 살펴보도록 하겠습니다.

우선 동사 'learn'을 이용하여 문장을 하나 만들어 보겠습니다. 〈I learn English〉 그리고 여기서 기존에 알고 있던 12시제를 적용하여 펼쳐보면 다음과 같습니다.

- I learn English.
- I learned English.
- I will learn English.
- I am learning English,
- I was learning English.

- I will be learning English.
- I have learned English.
- I had learned English.
- I will have learned English.
- I have been learning English.
- I had been learning English.
- I will have been learning English.

어떤가요? 동사 learn 하나로 시작을 했던 시제표현이 마지막에 가서는 will have been learning 이렇게 네 단어로 불어났습니다. 현재, 과거, 미래 이렇게 3가지로 끝내면 좋겠지만 무려 4배로 늘어난 12가지 형태가 나와버렸습니다. 이론적으로는 3가지 기본시제에 상 (aspect)이라는 개념이 들어가서 늘어난 것인데, 여기서 상이라는 말은 어떠한 동작이 일어날 때, 그 드러나는 모양이나 상태 등을 의미합니다. 영어에서는 어떤 동작이 언제 일어났었던 지와 더불어 그것이 진행되고 있는 것인지, 완료된 것인지 까지도 정확히 표현할 수 있구나 정도로 생각하시면 될 것 같습니다.

12가지 형태를 표로 정리해보면 다음과 같습니다.

I _____	과거	현재	미래
기본	learned	learn	will learn
진행	was learning	am learning	will be learning
완료	had learned	have learned	will have learned
완료진행	had been learning	have been learning	will have been learning

　　그런데 이렇게 표로 분류해서 정리하면 뭔가
깔끔해져서 좋긴 한데, 이와는 별개로 의문점이 하나
생기게 되었습니다. 과연 '이 많은 동사형태를
원어민이 다 사용하는 걸까?' 다양한 형태의 시간표현
들이 사용되는 경우를 실제 경험해 본 기억이 없어서
이런 질문이 생긴 것 같습니다. 여러분들 은 어떤가요?

여러분들 입에서 아니면 손에서 〈I will have been learning English〉와 같은 문장을 말해보거나 써본 적이 있나요? I아니면 들어본 적이라도 있으신가요? 문법 책에서는 '미래 어느 한 시점 이전에 어떠한 동작이 시작되어 그 한 시점까지 계속 이어져오는 상황에 사용된다'라고 미래완료진행시제를 설명하지만 이런 설명으로는 감도 잘 안 오고, 문법 책을 벗어나 면 실제 생활에서는 만나기 어려운 시제였습니다. 이런 고민을 계속 하던 중에 우연찮게 흥미로운 연구결과를 발견하게 되었습니다.

영어시제 중 원어민은 어느 시제를 가장 많이 사용할까?라는 질문에 여러 데이터들을 수집하여 통계를 내었고 조심스럽게 이와 관련한 답을 내어놓았습니다. spoken인지 written 인지에 따라서, 장르에 따라서, 또 사용자의 성향에 따라서 차이가 있겠지만 spoken English의 경우로 한정하면 다음과 같은 빈도수를 나타낸다고 합니다. 자세한 사항은 아래 웹 페이지에서도 확인이 가능합니다.

(https://ginsengenglish.com/blog/english-verb-tense-frequency)

사용빈도	과거	현재	미래
기본	19.7%	57.1%	8.5%
진행	1.4%	5.1%	〈0.1%
완료	1.2%	6.0%	0.2%
완료진행	〈0.1%	0.7%	〈0.1%

물론 이 데이터가 100% 완전하게 정확하지 않을 수도 있습니다. 특히 written English같은 경우엔, 현재시제보다 과거시제 사용빈도가 압도적으로 높게 나오기도 했습니다. (57.6%) 그럼에도 불구하고 결론으로 가져올 수 있는 내용은 <u>12가지 동사형태 중 5가지가 전체에서 90%가 넘을 정도로 집중적으로 많이 사용되고 있다는 점입니다.</u> 미래완료진행 문장을 입으로 내뱉거나 손으로 써보는 것이 엄두가 나지 않았던 점은 어찌 보면 너무나 당연했었습니다. 원래부터 잘 쓰질 않았기 때문이었습니다.

원어민도 자주 사용하지 않는 시제들을 꼼꼼히 다 공부할 필요는 없다고 생각합니다. 자주 사용되는 것만 연습해도 충분합니다. 실제 사용되지 않는 시제를 익히느라 너무 많은 에너지를 낭비하느니 실제 사용되는 시제만이라도 정확하게 활용할 줄 아는 것이 더 중요하다고 봅니다. 그리고 그렇게 실제 사용되는 시제에 집중해서 연습을 하다 보면 나머지 시제들에 대해서 어느 정도 개념이 잡히게 됩니다. 특히나 현재와 관련된 시제들을 잘 익혀두는 것이 중요합니다. 현재진행시제를 잘 이해했다면 과거진행, 미래진행 까지 이해하는데 큰 어려움이 없기 때문입니다. 마찬가지로 현재완료를 잘 이해했다면 기준 시점만 바뀐 과거완료나 미래완료 개념도 똑같은 내용으로 이해할 수 있게 됩니다. 따라서 잘 사용되는 시제들은 언제든 입으로 나올 수 있게 연습을 많이 하고, 나머지 시제들은 개념만 이해하고 넘어가도 좋겠습니다. 이제 사용 빈도수가 가장 높은 5개 필수 시제들을 중심으로 본격적으로 익혀보도록 하겠습니다.

Summary

- 시제란 동사의 형태를 변형시켜 시간을 나타내는 것이다.
- 몇 가지 시제가 존재하는가에 대해서는 다양한 의견이 존재한다.
- 전통적으론 12가지 동사형태가 있는데, 말하기에선 주로 5가지 형태가 집중적으로 사용된다.

Warm-up Activity

시제	예문
현재	
과거	
미래	
현재진행	
과거진행	
미래진행	
현재완료	
과거완료	
미래완료	
현재완료진행	
과거완료진행	
미래완료진행	

동사 하나를 고르고 12가지 시제에 맞게 변형하여 예문을 만들어보세요. 본격적인 시제 학습에 앞서서 기본 형태에 익숙해지면 좋겠습니다.

현재

VS

현재진행

Quiz 다음 문장들의 차이점은? → 정답은 37p

1. He eats a lot.

2. He is eating a lot.

3. He is always eating a lot.

현재는 now가 아니다

시제 중에 가장 기본이 되는 현재시제부터
살펴보겠습니다. 현재시제는 가장 단순한 형태변화를
가집니다. 3인칭 단수일 때 s(es)를 붙인다는 규칙이
있고, 그 외에는 사전에서 보는 원래 그 형태로
사용하기에 어쩌면 우리에게 가장 익숙한 모양을
가지고 있는지도 모르겠습니다. 하지만 내용은 의외로
깊습니다.

현재라는 우리말에 혼동되어 현재시제하면 now
즉 지금 일어나는 동작을 생각하기가 쉽습니다. 〈He
goes to work〉라는 문장을 볼 때, 그 사람이 지금
버스나 지하철을 타고 출근하는 모습을 떠올린다면 아

직 현재시제에 대해서 명확히 이해하지 못 한 것입니다. 〈그는 직장에 간다〉라고 해석을 하게 되니 우리말 해석에 따라 지금 가고 있는 모습을 떠올릴 수 있겠지만, 영어에서 현재시제는 지금 일어나는 일을 나타내지 않습니다. 현재시제는 지금 일어나고 있는 일을 나타내기 위해 사용하는 시제가 아니고, 평상시에 습관, 반복, 규칙적으로 일어나는 상황에 사용하는 시제입니다. 〈He goes to work〉은 그가 평상시에 규칙적으로 회사를 나간다는 것을 나타내는 문장입니다. 평상시에 회사를 계속해서 나가는 사람 즉, 그는 회사를 다니는 직장인이다라는 의미입니다. 몇 가지 예문을 좀 더 살펴보겠습니다.

(1) He goes to church.

(2) The earth goes around the sun.

(3) It rains a lot in summer.

(4) My husband watches TV in the evening.

(5) I usually play football on Saturdays.

예문 (1)은 그가 지금 교회에 가고 있다는 뜻이

아니라 평상시에 교회를 다닌다, 즉 그는 평상시에 교회를 다니는 크리스천이라는 의미를 내포합니다. 예문 (2)는 문법 책에 자주 등장합니다. 과학적 사실이나 불변의 진리는 현재시제를 사용한다고 설명합니다. 그런데 과학적 사실이라는 것, 불변의 진리라는 것의 특징을 생각해보면 예나 지금이나 앞으로나 계속해서 한결 같다는 느낌을 줍니다. 물이 100도에서 끓는다는 것. 2+3=5 라는 내용은 시대가 변한다고 바뀌지 않습니다. 또한 진리는 시대가 변해도 항상 변하지 않는 내용을 담고 있는 것이겠지요. 그러니 현재시제의 속성과도 일맥상통하는 면이 있습니다. 다시 예문 (2)를 살펴보면, 지구는 과거 어느 한 시점에서부터 지금도 또 앞으로 언제까지일지는 모르지만 그 때까지는 계속 공전을 한다는 의미입니다. 예문 (3)에서는 여름만 되면 비가 많이 온다는 사실을 말합니다. 〈What's the weather like today?〉의 답변으로 지금의 날씨 상태를 말하는 것이 아니라 이 지역의 기후에 대해서 말하는 것입니다. 예문 (4)는 남편이 늘 저녁에는 TV를 보는 사람이라는 뜻입니다. 남편의 취미내지 습관이

TV보기라는 것을 알 수 있습니다. 예문 ⑸에는 usually라는 빈도부사가 들어갔습니다. 빈도부사는 어떠한 동작이 얼마나 빈번히 일어나는지를 알려주는 부사인데, 현재시제가 지금이 아니라 과거부터 미래까지 계속 반복되는 상황을 나타내기에 그 상황이 얼마나 자주 일어나는 지를 나타내주는 빈도부사와 현재시제는 잘 어울린다고 볼 수 있겠습니다. 빈도부사는 아니지만 on Saturdays(토요일마다)와 같은 수식어들도 의미상 역시 현재시제와 자연스럽게 잘 붙어 다닐 수 있는 표현입니다.

현재시제를 설명하면서 빈도부사가 왜 어울릴 수 있는지 까지 살펴보았습니다. 이 즈음에서 빈도부사들을 가볍게 정리해보겠습니다.

- I always get up at 6:00. (100%) 항상
- I always almost get up at 6:00. 거의
- I usually get up at 6:00. 보통은
- I often get up at 6:00. 종종
- I sometimes get up at 6:00. 가끔은

- I <u>hardly ever</u> get up at 6:00. 거의 아니다
- I <u>never</u> get up at 6:00. (0%) 절대 아니다

〈나는 6시에 일어난다〉라는 문장에다가 빈도부사를 넣어서 그 강도를 비교해 봤습니다. 아래로 내려갈수록 횟수가 떨어집니다. always를 넣으면 입대해서 생활 중인 군인에게 적용될 수 있는 문장인 듯 합니다. 절대적인 느낌이 듭니다. never를 넣으면 항상 밤샘 작업을 하는 작가에게 적용될 수 있을 것 같습니다. 예는 이렇게 들었지만 사실 always나 never는 아주 극단적인 표현입니다. 실제로 무엇인가를 항상 하거나 절대 하지 않는 일은 드물죠. 물론 강조의 의미로 표현할 수는 있겠지만 표현자체로는 꽹장히 강합니다. 오히려 실제 상황에서는 always almost나 hardly ever가 더 많이 쓰일 수 있으니 익혀 두시면 좋겠습니다.

현재시제가 미래를 나타내는 경우 왕래발착?

한편, 현재시제로 미래를 나타내는 경우도 있습니다. 예전에 문법책에서 왕래발착 동사는 현재가 미래를 대신한다라는 설명을 본 기억이 있습니다. 여기서 왕래발착이란 가다 오다 출발하다 도착하다의 의미를 지닌 일종의 한자어입니다. 영어로 go, come, leave, arrive가 해당될 텐데, 사실 동사 자체의 특징이라기 보다는 현재시제의 속성을 이해한다면 이런 동사들이 왜 미래의 의미로 사용되는지 암기가 아닌 이해를 할 수 있습니다.

(1) The train leaves Seoul at 9:00 a.m.

(2) The movie ends at 3:45 p.m.

(3) The baseball game starts at 6:30 p.m.

세 문장 다 현재시제입니다. 그리고 공통점이 보입니다. 기차가 떠나거나, 영화가 끝나거나, 야구경기가 시작하는 것은 임의적으로 일어나는 것이 아니라 정해진 시간표에 따른다는 점입니다. 어제도

오늘도 내일도 늘 그렇게 규칙적으로 동작이 일어난다는 것인데 이는 현재시제의 속성을 그대로 담고 있습니다.

야구 경기를 내일 보기로 했다고 가정해 보겠습니다. 그 경기가 몇 시에 시작되냐고 묻는 건 분명 미래 영역에 대한 질문입니다. 그런데 답변을 〈The baseball game will start at 6:30 p.m.〉이라고 하지 않고 〈The baseball game starts at 6:30 p.m.〉이라고 합니다. 왜냐면 야구 경기라는 것은 정해진 스케줄에 따라서 매일 저녁 6시 30분에 시작을 하는데, 이 상황이 바로 현재시제의 속성과 연결됩니다. 예나 지금이나 앞으로나 항상 반복적으로 일어나는 동작은 현재시제로 표현을 한다고 했었죠. 그러니 야구 경기가 시작되는 상황과 일치합니다. 그래서 〈What time does the baseball game start tomorrow?〉라고 묻고, 답변도 〈The baseball game starts at 6:30 p.m.〉이라고 현재시제로 미래를 얘기하는 것입니다.

야구경기나 영화가 시작되는 것, 기차나 비행기

출발하는 것, 다 정해진 시간에 규칙적으로 반복적으로 동작이 일어납니다. 여기에 사용되는 동사들이 go, come, start, arrive이다 보니, 왕래발착동사가 미래를 대신한다 라고 규칙을 만든 것인데 규칙을 암기하기에 앞서, 현재시제의 속성을 다시 확인하는 것이 필요하습니다.

지금 그리고 요즈음도 표현하는 현재진행시제

현재시제를 설명하면서 가장 먼저 얘기를 꺼낸 부분은 현재라는 말 때문에 혼동되어 지금 일어나는 일에 현재시제를 사용하면 안 된다는 것이었습니다. 지금 일어나는 동작에 대해서는 현재진행시제로 표현을 합니다. 〈He goes to work〉이 그는 직장 다니는 사람이다라는 뜻이라면 〈He is going to work〉은 지금 출근 중이라는 뜻입니다. 이 문장 뒤에는 now가 기본적으로 생략되어 있다고 보면 됩니다. 하지만 현재진행시제가 꼭 말하는 시점에 일어나고 있는 동작만을 나타내진 않습니다. 동작이 일어나는 영역을 좁게 잡으면 '지금'이지만 넓게 잡으면 '요즈음'

'이번 달'에만 일어나는 동작도 표현할 수 있습니다.

(1) He is exercising <u>these days</u>.
(2) I am not working <u>this month</u>.
(3) She is not playing <u>this season</u>.

세 문장 다 지금 말하는 시점에서의 동작이 아니라 these days, this month, this season라는 now 보다는 폭이 넓은 기간에서만 그 동작을 하고 있다는 뜻입니다. 예문 (1)에서 그는 평상시가 아닌 요즈음에만 운동을 하고 있다는 뜻입니다. 예문 (2)에서는 긴 휴가를 얻었는지 아님 병가를 냈는지는 모르겠지만 이번 달 만큼은 내가 일을 하지 않고 있다는 것을 의미합니다. 예문 (3)도 이번 시즌에서만 뛰지 않는다는 일시적인 상황을 얘기하고 있습니다.

여기서 현재진행시제와 현재시제 사이의 차이점을 꼭 확인해둘 필요가 있습니다. <u>현재시제가 예나 지금이나 앞으로나 계속 발생하는 동작이라 지속적이고 영속적이라면 현재진행시제는 하고 있는</u>

동작이 언젠가는 종료된다는 것을 내포하고 있기에 임시적이고 한시적인 느낌을 지니고 있습니다. 목이 말라서 물을 마시는 상황을 떠올려보겠습니다. 〈I am drinking water〉라고 말할 수 있습니다. 그런데 이 동작은 계속 하게 되는 걸까요? 지금은 목이 말라 물을 마시지만 갈증이 해소되면 마시는 동작을 멈추게 됩니다. 모든 현재진행시제 상황이 이와 같습니다. 동작이 일어나고 있지만 언젠가는 끝이 나게 되어있습니다.

그럼 이번에는 현재시제 문장과 현재진행시제의 문장을 비교해서 같이 보도록 하겠습니다.

(1) What do you do? vs What are you doing now?
(2) I live in Seoul. vs I am living in Seoul.
(3) He is kind. vs He is being kind.

예문 (1)은 현재시제와 현재진행시제의 차이를 극명하게 보여 줍니다. 〈What do you do?〉는 평상시에 하는 일이 무엇인지 즉 밥벌이로 늘 상 하는 일이 무엇인지 묻는 것입니다. 뒤에 for a living이나 for money가 생략되어 있는 것입니다. 직업을 묻는 일반적인 표현입니다. 물론 문장 뒤에 when you are free나 on the weekend를 붙인다면 평상시에 하는 취미를 묻는 질문이 될 수도 있습니다. 반면 〈What are you doing now?〉는 말하고 있는 지금 이 순간 무엇을 하고 있는지 묻는 질문입니다. 예문 (2)에서 〈I live in Seoul〉은 예나 지금이나 앞으로도 계속 서울에 사는 사람 즉, 나는 서울에 정착해서 살고 있는 서울시민이라는 느낌을 줍니다. 반면 〈I am living in Seoul〉은 서울에 일이 있어 지방에서 올라와 잠깐 서울에 머무르던 아님 서울에 지인이 있어 당분간은 같이 살기로 한 경우에 사용할 수 있는 문장입니다. 임시적이고 한시적인 느낌을 줍니다. 예문 (3)에서 〈He is kind〉는 그 사람 원래 성품이 친절하다는 뜻입니다. 반면 〈He is being kind〉는 원래 그렇지는 않지만 어떠한 이유로 지금 일시적으로만 친절하다는 의미가 됩니다.

현재진행시제가 always와 만날 때

　　지속적이고 영속적인 느낌을 주는 현재시제는 그 동작이 얼마나 자주 일어나는지를 알려주는 빈도부사와 잘 어울린다고 했습니다. 그중에서 가장 센 always는 뜻 자체로도 현재시제의 속성을 잘 드러내줍니다. 그런데 이런 always가 임시적이고 한시적인 느낌을 주는 현재진행시제와 어울릴 때가 있습니다. 누군가 지금 잠을 자고 있다면 〈He is sleeping〉으로 표현합니다. 그런데 옆에서 자고 있는 이 사람이 못마땅하게 여겨질 수도 있습니다. 해야 할 일을 하지 않고 잠만 잔다거나 지나치게 잠을 오래 자는 경우에 그런 마음이 생깁니다. 여기서 충돌이 생깁니다. 분명 이 사람은 일시적 동작으로 잠을 자고 있지만, 그 장면이 마음에 안든 사람 입장에서는 그 동작이 계속 될 것 같은 느낌을 가질 것입니다. 그렇게 현재진행시제와 always라는 빈도부사가 만났고, 단순한 동작의 묘사가 아닌 불평을 나타내게 되었습니다. 그 사람 입장에서는 잠깐 자는 것이지만 보고 있는 나에게는 맨날 그런 거 같은 느낌을 줄 수 있다는 것입니다. 그래서 ⟨He is always sleeping⟩이라고 하면 단순히 그는 항상 잠을 자는 중이다가 아닙니다. 적어놓고 보니 우리말로도 어색합니다. ⟨He is always sleeping⟩은 '이 자식 맨날 잠만 자네'라는 의미입니다. 다른 예문을 좀 더 보여드리겠습니다.

- He is always drinking.
- I am always losing my key.
- They are always eating a lot.

세 문장은 단순히 지금의 상황을 묘사하는 것이 아닙니다. 모두 불평을 나타내는 문장입니다. 불만과 짜증이 담겨있는 톤으로 바라봐야 합니다. '걔 맨날 술이야', '난 허구한 날 내 열쇠 잃어버려', '걔들은 항상 많이 (처)먹어' 이런 느낌을 주면서 불평이나 불만을 드러냅니다. 분명 당사자는 잠깐 하는 동작이기에 현재 진행시제를 쓰지만 보는 사람 입장에서는 영원히 계속되는 느낌이 들어 always가 들어갔다고 보시면 이해가 더 쉬울 것 같습니다.

현재진행으로 미래를 나타낼 때

나중에 자세히 다루겠지만 미래를 나타내는 표현으로 be going to가 있습니다. be going to 다음에 동사원형을 붙여서 ~을 할 것이다라는 의미로 표현할 수 있습니다. 그런데 여기서 to + 동사원형 부분을 빼보면 현재진행시제가 보입니다. I am going (나는 가는 중이다) to have dinner with Sam (쌤과 저녁을 먹는 쪽으로) 이 두 개가 합쳐진 것인데 지금 가는 중이지만 가다 보면 저녁을 먹는 것과 만나게 되고 그래서 결국은 저녁을 먹겠다는 뜻이 되는 것입니다. 현재진행시제가 지금 일시적인 동작을 나타내고 언젠가 끝이 날 것이라는 속성을 가지지만 어쨌든 미래영역과 연결이 되어 있음을 알 수 있습니다. 그래서 현재진행시제로 미래를 나타내는 경우도 쉽게 볼 수 있습니다.

⑴ What are you doing this weekend?

⑵ He is leaving for L.A. next month.

⑶ I am not going anywhere tomorrow.

예문을 보시면, 현재진행이 미래를 나타낼 경우, this weekend, next month, tomorrow와 같은 미래를 나타내주는 표현이 같이 나오면서 그 의미를 확실히 해주고 있습니다. 그리고 이 때의 미래는 단순히 뭔가를 할 것이다와 같은 느낌이 아니라 사전에 이미 계획한 일들을 나타낼 때 사용하게 됩니다. 예문 (1)은 이번 주말에 뭘 할 것인지 계획을 묻는 질문이고, 예문 (2)는 다음 달에 L.A에 가기로 예정된 상황에서 하는 말입니다. 예문 (3)은 내일 나는 아무 데도 가지 않겠다고 이미 마음을 먹은 상태에서 하는 말이 됩니다. 현재진행시제는 이렇게 계획된 미래를 나타낼 경우에 빈번하게 사용됩니다.

Quiz 정답 (22p)

He eats a lot.

그는 평상시에 많이 먹는다. 즉 대식가라는 뜻입니다.

He is eating a lot.

그는 평상시는 아니지만 지금이든지, 아님 요즘이든지 특정 기간에만 일시적으로 많이 먹고 있는 상황입니다. 최근에 식욕이 좋아서 많이 먹고 있는 모습을 그려볼 수 있겠습니다.

He is always eating a lot.

진행시제와 always가 만났기 때문에 불평내지는 불만을 담고 있습니다. 걔는 허구한 날 많이 (처)먹네. 라는 느낌을 전달합니다.

Summary

- 현재시제에서 현재는 now가 아니라 평상시다.
- 반복적이고 확정적인 상황이면 미래도 현재시제로 표현한다.
- 현재진행시제는 지금 또는 지금을 포함한 일정 기간 (요즈음, 이번 달...)에만 일어나는 일을 나타낸다.
- 현재진행시제가 always와 만나면 불평을 드러낸다.
- 현재진행시제로 계획한 미래를 나타낼 수 있다.

Practice

현재시제, 현재진행 시제를 사용하여 다음 문장을
영어로 써보고 말해보세요.

⑴ 저는 보통 12시 이전에 잠이 듭니다.

⑵ 제 남편은 주말마다 야구경기를 봅니다.

⑶ 내일 도서관 몇 시에 열어요?

⑷ 내 동생은 맨날 컴퓨터게임만 해. (불평)

⑸ 이번 주 금요일에 뭐 할거야?

Practice 정답

(1) I usually go to bed before 12 o'clock.

(2) My husband watches baseball games every weekend.

(3) What time does the library open tomorrow?

(4) My brother is always playing computer games.

(5) What are you doing this Friday?

과거

(&과거완료)

vs

현재완료

Quiz 다음 문장들의 차이점은? → 정답은 57p

(1) She lived in America.

(2) She used to live in America.

(3) She has lived in America.

과거는 과거일 뿐

　　과거시제는 과거의 어느 시점에서 동작이 발생해서 종료가 되었고, 지금의 상황과는 아무런 관련이 없다는 것을 의미하는 시제입니다. 너무 당연한 말 같지만 그래도 꼭 기억해야 되는 사실입니다. 조금 더 풀어서 설명해본다면 <u>과거는 지금 상황에는 관심이 없고 오로지 과거 상황에만 집중합니다. 그렇기에 과거 어느 시점에 그 일이 발생했는지가 중요하고 그래서 과거를 나타내주는 수식어와 함께 사용하는 것이 일반적입니다.</u> 물론 듣는 사람이 이미 알고 있거나 앞뒤 맥락에서 과거를 언급하는 얘기가 나온다면 과거시점이 언급되지 않지만 기본적으로는 과거 시점을 찍어 주는 느낌이 있다라고 이해하시면 좋습니다.

(1) He went to China last year.

(2) She taught English from 2012 to 2015.

(3) I had a lot of bread a few minutes ago.

예문 (1)에서 last year라는 과거시점을 찍어준 것을 확인할 수 있습니다. 여기서 질문 하나 드리겠습니다. 예문 속의 그는 지금 어디에 있을까요? 여전히 중국에 있을까요? 아니면 귀국해서 한국에 있을까요? 정답은 '둘 다 아닙니다'입니다. 과거시제는 지금 상황에 관심이 없다고 했습니다. 이 문장은 그저 last year라는 과거시점에 그가 중국으로 갔다는 사실만을 얘기합니다. 예문 (2)에서는 from 2012 to 2015라는 시점이 나왔는데 3년이라는 기간이 있다고 해서 기간과 관련 있는 현재완료로 생각하면 안 됩니다. 지금 시점에서 보면 과거의 1분이든 3년이든 그냥 하나의 점 일 뿐입니다. 예문 (3)번에서 한 번 더 질문을 해보겠습니다. 예문 속의 나는 지금 배가 부를까요? 정답은 '알 수 없다'입니다. 과거는 과거의 상황만 얘기할 뿐이기에 이 문장은 몇 분 전에 빵을 많이 먹었다는 뜻만 전달합니다. 물론 문맥상 조금 전에 빵을 많이 먹었으니 지금 배가 부르겠다라고 유추할 수 있겠으나 〈I had a lot of bread a few minutes ago〉라는 문장 자체는 과거 어느 한 시점에 많이 먹었다는 사실만 얘기합니다.

used to 도 과거이긴 한데...

과거시제를 다룰 때, used to도 같이 알아두면 좋습니다. 과거시제와 마찬가지로 예전에 일어난 일들을 나타내긴 하는데 다른 점이 하나 있습니다. 과거는 과거로 끝나서 지금과 관련이 없었지만 used to는 지금 상황은 그렇지 않다는 뜻을 가지고 있습니다.

(1) I used to smoke.

(2) I used to run fast.

(3) I didn't use to be healthy.

예문 (1)에서 예전에는 흡연자였지만 지금은 끊었다는 의미를 담고 있습니다. 예문 (2)에서는 한때는 빨리 달렸으나 지금은 그렇지 못 하다는 뜻입니다. 예문 (3)은 부정문인데 예전에 건강하지 못 했었지만 지금은 건강하다는 의미입니다.

과거보다 더 과거, 과거완료

과거를 마쳤으니 이제 과거완료시제로 넘어가 보겠습니다. 서두에서 한번 언급해드렸듯이 과거완료 시제가 빈번하게 사용되는 시제는 아니지만 과거시제를 배운 김에 같이 연결해서 정리해두면 쉽게 이해될 수 있기에 바로 이어서 설명을 드려야겠습니다. 우선 형태가 had pp입니다. 그리고 이 had pp는 과거를 기준으로 삼아 그보다 먼저 일어난 상황에서 사용합니다. 그러니까 <u>과거보다 먼저 일어난 일. 즉, 과거보다 더 과거를 나타내는 시제입니다.</u> 그리고 혼자 단독으로 사용할 없고, 기준 시점인 과거가 나와야만 쓰임이 가능해집니다. 몇 가지 예문을 살펴보겠습니다.

(1) The movie had already started

when they arrived at the theater.

(2) I didn't want to eat pizza

because I had already eaten it.

(3) After I had cleaned (=cleaned) my room,

I took a shower.

예문 (1)에서 그들이 영화관에 도착한 것(과거)보다 영화가 시작한 것(과거완료)이 먼저라서 had started 로 표현했습니다. 예문 (2)에서도 먹고 싶지 않았던 것(과거)은 그 전에 이미 먹어봤기(과거완료)때문입니다. had eaten을 사용함으로써 과거 이전에 먼저 발생했던 동작을 나타내고 있습니다. 여기서 확인할 사항은 과거 완료 had pp는 기준 시점인 과거시제가 있기에 사용할 수 있다는 점입니다. 무턱대고 〈I had done something〉이렇게 나올 수는 없습니다. 바꿔 말하면 had pp가 나온 주변에는 반드시 과거시제 문장이 보일 수 밖에 없다는 얘기입니다. 과거완료시 제는 이렇게 과거시제와 항상 붙어 나와야만 하는 운명입니다. 마지막으로 예문 (3)에서는 had cleaned

와 cleaned가 같다고 되어있는데 이는 접속사 after 때문입니다. after의 의미 자체가 '~한 후' 이니까 과거완료시제를 사용하지 않더라도 동작의 순서를 자연스럽게 알 수 있습니다. after 다음에 나온 동작이 먼저 발생한 것임을 알 수 있기에 굳이 과거완료형태로 나타내지 않아도 되는 것입니다. 이와 비슷한 기능을 가지고 있는 접속사로는 before가 있습니다. before다음에도 꼭 과거완료시제를 써서 시간 순서를 알려줄 필요가 없습니다. 접속사의 뜻만으로도 순서를 알 수 있기 때문입니다.

가장 많이 들어봤던 현재완료

현재완료시제의 형태가 have + pp 라는 사실은 우리에게 익숙한 내용입니다. 잘 알고 있어서 익숙하다기 보다는 영어 문법시간에 가장 많이 들어봤기 때문에 그렇습니다. 많이 들어본 이유는 용법이 다양해서 풀어낼 내용이 많아서 그랬던 것 같습니다. 이제 형태뿐만 아니라 여러 용법에도 익숙해져야겠습니다.

현재완료시제는 과거 어느 한 시점부터 지금 시점까지의 영역을 설정해 놓고, 그 동작이나 상황이 1) 지금까지 이어져오거나(해왔다) 2) 지금까지 몇 번을 해본 적이 있거나(해본 적 있다) 3) 과거에 했던 일이 지금에 영향을 줄 경우에(했다) 사용하는 시제입니다.

(1) I have worked here for 10 years.

(2) How many times have you been to Jeju Island?

(3) We have already seen the movie.

예문 (1)은 과거에 시작된 행동이 현재까지 계속 이어져 온 경우로, 10년 동안 여기서 일해왔다는 의미입니다. for 10 years라는 기간을 나타내주는 수식어를 보고 have work를 일해 왔다로 해석할 수 있습니다. 예문 (2)는 과거시점부터 현재까지 기간 동안 몇 번을 제주도에 가본 적이 있냐고 경험을 묻는 문장입니다. Have you (ever) pp?패턴은 회화 교재에 자주 나오는 질문 형태이기도 합니다. 〈I have been there 5 times〉 이렇게 답할 수 있겠습니다. 예문 (3)은 과거에 했던 동작이 현재에 어떠한 영향을 미칠 때 사용하는 문장입니다. 이 때 과거 어느 시점인지는 중요하지 않습니다. 그러니까 영화를 본 사실은 분명 과거인데 지금에 어떤 영향을 미칠 경우에 쓴다는 것입니다. 다른 문맥이 없고 딱 한 문장만 가지고 결론 내리는 것이 조심스럽지만, 예문에서는 이를테면 영화를 이미 봐서 지금은 볼 필요가 없다라는 뉘앙스를 남기고 있는 것입니다. 이렇게 현재완료는 쓰임새가 다양합니다. 하지만 3가지가 다 '지금까지' 계속 해왔다거나, '지금까지'의 기간 동안 몇 번을 해본 적 있다거나 그냥 한 번을 했더라도 '지금까지' 어떤 영향을 미쳤다거나 하는 상황에 사용되니 '지금까지'라는 공통점이 있다는 걸 확인할 수 있습니다.

현재완료와 어울리는 수식어들

그런데 〈I have learned Chinese〉라는 문장을 만났을 때, 이 문장은 〈나는 중국어를 배워왔다〉라는 뜻일까요? 아니면 〈나는 중국어를 배워본 적이 있다〉

일까요? 그것도 아니면 그냥 〈나는 중국어를 배웠다〉 일까요? 분명 3가지가 다 된다고 했는데 어떻게 구분을 할 수 있는 것일까요? 앞뒤 문맥이 있다면 유추를 하겠지만 그렇지 않다면 사실상 분간하기가 어렵습니다. 그러나 너무 어려워할 필요는 없습니다. 현재완료 시제와 어울리는 수식어들이 충분한 힌트를 주고 있기 때문입니다.

예문 ⑴을 다시 보면 for라는 전치사가 있습니다. '~동안' 이라는 뜻이니 동작이 특정 기간에 걸쳐 계속 이어져 왔다는 의미의 현재완료시제와 잘 어울립니다. for와 더불어 since도 과거시점을 찍고 그 '이후부터'라는 뜻을 가지니 역시 현재완료시제와 잘 붙어 다닙니다. 예문 ⑵는 how many times가 들어간 의문문인데, 지금까지 몇 번을 해본 것이냐고 그 경험을 묻고 있기에 역시 해본 적 있다라는 의미를 가진 현재완료시제와 잘 어울립니다. 이에 대한 답변 으로는 once, twice, three times처럼 횟수를 나타내 는 말이 나오게 됩니다. 예문 ⑶에서 already는 '이미' '벌써'라는 뜻인데 우리말 뜻만 생각해도 이 말들은 과거에 뭔가 해서 지금에 영향을 끼친다는 뉘앙스를 담고 있습니다. 예를 들어, 〈너 숙제 했어?〉라는 질문에 〈벌써 했지〉라고 답한다면 동작을 했던 건 과거지만 그래서 지금 '나는 놀 수 있다'든지 '피곤하다'등의 뉘앙스를 전달하게 됩니다. already말고 just(방금), yet(아직)도 비슷한 수식어들입니다. 이렇게 현재완료와 어울리는 수식어들을 확인해보니 3가지 현재완료 용법이 쉽게 정리가 됩니다.

했다 vs 했다

현재완료를 3가지로 구분해보고 관련된 수식어도 알아봤지만 여전히 헷갈리는 부분이 남아있습니다. 현재완료가 과거에 했던 일이 지금에 영향을 줄 경우에 '했다'로 해석이 된다고 했는데 이 때 과거시제 '했다'와 우리말 해석이 같다 보니 혼동이 될 수 밖에 없습니다. 지금 설명을 드리고 있긴 하지만 이론으로 개념을 정립한 후 여러 상황에서 들어보고 써보고 하는 경험을 늘려가야 제대로 느낌을 알고 사용할 수 있게 되는 것 같습니다.

한 번에 이해가 안되더라도 반복해서 설명을 들어보시고 실제 상황에서 써보는 기회를 늘려가시길 바라겠습니다.

과거시제는 과거에 집중합니다. 그래서 지금 상황에는 관심이 없습니다. 반면 현재완료시제는 과거 시간대와 걸쳐있는 시제이긴 하지만 과거에 집중하지 않고 지금 상황과의 관련성이 더 중요합니다. 현재완료시제가 과거시제처럼 '했다'라는 의미로 사용될 때, 과거에 일어난 일은 맞지만 언제인지 관심이 없고 현재에 어떠한 영향을 미치는 경우에 사용하게 됩니다.

(1) I drank three cups of water.

vs I have drunk tree cups of water.

(2) My mom cleaned the living room.

vs My mom has cleaned the living room.

(3) He had a car accident.

vs He has had a car accident.

예문 (1)에서 과거시제 문장은 과거 어느 시점에 물을 3잔 마셨다는 점에만 초점을 두고 있습니다. 물을 마셔서 지금 어떤지는 관심이 없죠. 과거를 나타내주는 yesterday나 a few minutes ago정도가 따라 나와야 자연스럽지만 현재완료시제와의 비교를 위해 동사형태만 보여준 것입니다. 반면 현재완료시제 문장은 물 3잔을 마셔서 지금은 배가 부른다거나 목이 안 마르다 정도의 뉘앙스가 같이 있습니다. 예문 (2)에서 과거시제 문장은 엄마가 거실을 청소했다는 사실만을 전달하고, 현재완료시제 문장은 청소를 해서 지금 깨끗해졌다 정도의 뉘앙스를 담고 있습니다. 예문 (3)에서도 차 사고가 나서 지금 병원에 있다던가 다쳤다던가의 느낌을 주는 문장은 〈He has had a car accident〉입니다. 과거시제 문장은 단지 사고가 과거 한 시점에 일어났었다는 사실만 얘기합니다.

이렇게 과거시제와 달리 현재완료시제는 과거 시점에 관심이 없기 때문에 과거를 나타내는 수식어는 어울릴 수가 없습니다. 연습을 한 번 해보겠습니다. 〈나는 작년에 제주도에 다녀온 적 있어〉라는 문장을 영어로 보겠습니다. 그러면 보통 이렇게 생각하기가 쉽습니다. 해 본적 있다가 have pp니까 〈I have been to Jeju Island〉 이렇게 시작을 하고, 작년만 이어 붙여서 〈I have been to Jeju Island last year〉로 매듭을 지을 수 있는데, 이 점이 안 된다는 것입니다. 우리말로 〈나는 작년에 제주도에 다녀온 적 있어〉는 자연스럽지만, 영어에서는 현재완료와 과거를 나타내는 수식어가 와 어울리지 못 합니다. 그래서 〈I went to Jeju Island last year〉로 표현해야 합니다. 영어학습에서 주의할 점 중 하나가 생각나는 대로 우리말을 영어로 바꾸어서 문장을 만들기 보다는 문장 전체가 어느 상황에서 어떤 의도로 표현된 것인지를 먼저 파악해야 한다는 것인데, 지금 연습해 본 문장도 역시 개별 어휘보다는 문장이 사용된 상황 파악이 우선이라는 점을 알려주는 예가 될 수 있겠습니다. 정리를 해보면 과거시점에 관심을 가지는 시제는 과거시제이고, 현재완료는 지금 상황에 관심이 있는 시제라는 것입니다.

지금까지 현재완료시제에서 가장 혼동되는 부분을

과거시제와 비교하면서 설명드렸습니다. 경험이 필요하고 거기서 얻어진 감각이 중요합니다. 그런데 이 부분에 있어서 원어민도 아주 엄격하진 않은 듯합니다. 과거시제 '했다'와 현재완료시제 '했다'를 아주 칼같이 구분해서 사용하진 않습니다.

- Have you seen the movie?

  Yes, I've already seen it.
- Did you see the movie?

  Yes, I already saw it.

영화를 봤냐고 묻고, 이미 봤다고 답하는 예문입니다. 하나는 현재완료시제를 사용해서 묻고, 다른 하나는 과거시제로 물었습니다. 물론 언제인지 찍어서 물어보는 거라면 〈Did you see the movie yesterday?〉가 맞습니다. 그런데 우리가 보통 상대가 영화를 봤는지 확인하고 싶을 때는 위의 예문들처럼 두 가지 시제 다 가능합니다. 정석은 현재완료시제가 맞지만 구어체에서는 과거시제로도 표현 가능하다는 것입니다. already라는 부사어가 과거에 했고, 지금은 어떠하다를 알려주는 느낌이 있어서 그렇기도 하겠지만 최대한 간편하게 언어를 구사하려는 습성 때문이기도 하겠다는 추측을 해봅니다. 〈I have lost my key〉와 〈I lost my key〉가 다르다고 문법책에서 설명을 하지만, 실제로는 구분 없이 사용되는 경우가 많습니다. 문장 하나가 가지는 의미도 중요하겠지만 그 문장을 사용하게 되는 상황이나 맥락도 중요하기에 때로는 이렇게 엄밀한 구분 없이 사용하는 경우도 발생하게 되는 것 같습니다. 정석을 배워두시되, 정석이 익숙해지면 더 간편한 방식으로 가게 되는 건 자연스러운 흐름이라는 점을 깨닫는 것도 언어를 배워나갈 때 필요한 부분이 아닐까 생각해봅니다.

Quiz 정답 (42p)

She lived in America.

그녀는 미국에 살았다. 그 시점이 언제인지 같이 나오면 좋겠지만 일단 살았던 과거상황만을 얘기합니다. 지금 어디에 사는지는 모릅니다.

She used to live in America.

그녀는 예전에 미국에 살았다. 그리고 지금은 미국에 살고 있지 않다는 의미를 담고 있습니다.

She has lived in America.

이 문장은 사실 애매합니다. 살아온 것인지, 살아본적이 있는 것인지, 아니면 살았다 인지 알 수가 없습니다. 동사를 수식해주는 표현도 없고, 문장 하나만으로는 상황도 알 수가 없습니다. 다만 위 두 문장과의 비교를 위해서 뒤에 since then 정도를 붙여보면 예전부터 지금까지 살고 있다라는 의미를 가집니다.

Summary

- 과거시제는 과거사실에만 집중한다.

- used to V도 과거를 나타내는데 과거엔 그랬지만
  지금은 아니다라는 의미이다.

- 과거이전의 과거는 과거완료시제(had pp)이다.

- 현재완료시제는 3가지 의미로 나눠볼 수 있다.
  1)해왔다 2)해 본 적 있다 3)했다

- 현재완료시제는 과거시점에 관심이 없기에
  과거를 찍어주는 수식어와 어울리지 않는다.

Practice

과거시제, 과거완료시제, 현재완료시제를 사용하여
다음 문장을 영어로 써보고 말해보세요.

⑴ 내가 거기에 도착했을 때 그들은 이미 떠나버렸다.

⑵ 그는 예전에 담배를 피곤했다. (지금은 아님)

⑶ Sam은 20년째 영어를 가르쳐왔다.

⑷ 하와이에 가본 적 있으세요?

⑸ 나 방금 그 책 다 읽었어.

Practice 정답

(1) They had already left when I got there.

(2) He used to smoke.

(3) Sam has taught English for 20 years.

(4) Have you ever been to Hawaii?

(5) I've just finished reading the book.

미래

vs

미래진행

Quiz 다음 문장들의 차이점은? → 정답은 73p

(1) I will see a movie this weekend.

(2) I am going to see a movie this weekend.

(3) I am seeing a movie this weekend.

미래를 나타내는 방법

영어에서 동사를 변형하여 미래를 나타내는 방법은 없습니다. 독일어, 스페인어, 프랑스어, 이태리어 그리고 포르투갈어까지 대개의 유럽 언어들은 동사가 미래를 표현할 때 직접 변형이 일어나지만 영어는 이와 달리 동사자체가 변하지 않고, 대신 조동사 will을 빌려서 표현합니다. 사실 'will' 자체가 미래를 의미하진 않습니다. 엄밀히 얘기하면 will은 말하는 사람의 '의지'나 주어의 '추측'을 의미를 전달합니다. 그리고 미래는 아직 우리에게 도달하지 않은 영역입니다. 이 두 가지를 염두에 두고 〈I will go there〉라는 문장을 보겠습니다. 미래에 어떻게 될지는 모르겠으나 거기 간다는 의지를 가지고 있다면 그 일이 앞으로 일어나게 될 확률이 높아지는 것입니다. 그래서 will이 자연스럽게 ~할 것이다라는 미래의미로 연결이 됩니다. 물론 실제 가게 될 지 못 가게 될지는 미래를 가봐야 알겠지만 그런 의지를 가지고 있다는 뜻 입니다. 한편, 미래를 나타내는 또 다른 방법 중에 우리에게 익숙한 be going to도 있습니다. 〈He is going to cook dinner〉라는 문장을 끊어서 살펴보면, 그는 가는 중인데 그 방향이 저녁을 하는 쪽입니다. He가 is going하다가 미래에 만나는 지점이 to cook dinner이니 결국 이 역시 미래를 나타내는 표현 방식이 됩니다. will과 be going to는 이렇게 미래를 나타내는 2가지 기본적인 방법입니다.

will vs be going to

will과 be going to는 비슷하게 사용되기도 하지만 확실히 구분되는 점도 있습니다. will은 즉흥적인 결정을 한 경우에 사용하는 반면, be going to는 이미 계획한 일을 표현할 때 사용됩니다. 예문으로 비교해보겠습니다.

(1) I will get you some water.

(2) I will answer the door.

(3) I think I will stay at home this Saturday.

예문 (1)은 상대가 목이 마르다고 하니 바로 그 순간에 물 좀 가져다 주겠다고 말하는 상황입니다. 예문 (2)는 초인종이 울리고, 그 소리를 듣고 나서 내가 바로 문을 열어주겠다고 달려나가는 그림이 그려집니다. 예문 (3)은 이번 주 토요일에 뭐 할거냐는 질문에 지금 생각해보니 특별히 할 것은 없고 집에 있을 것 같다라고 답변을 하는 상황입니다. 물을 가져다 주는 것, 문을 열어주는 것, 그리고 집에 있을 것이라는 동작들은 미리 결정한 것이 아닌 즉흥적으로 결정한 상황을 나타내는 문장들입니다.

(1) What are you going to do this weekend?

(2) He is going to move to Paju next month.

(3) Are you going to take English grammar this term?

이와 달리 be going to는 이미 계획한 미래를

말할 때 사용합니다. 예문 ⑴에서 주말의 계획을 묻고 있는데 주말 계획은 미리 생각해서 정해놓는 것이므로 be going to가 어울립니다. ⑵번 문장에서 다음 달에 이사 가기로 한 것인데 이사 가는 것은 즉흥적으로 결정해서 갈 수 없습니다. 미리 계획해서 가는 일정이므로 be going to가 역시 어울립니다. 예문 ⑶은 이번 학기에 영어문법 수업을 들을 것이냐고 묻는 질문인데 수강신청 할 때도 역시 즉흥적이기보다는 미리 계획을 하는 행동이므로 will대신 be going to를 사용하는 것이 자연스럽습니다.

지금까지 will과 be going to를 비교해 보았습니다. will이 즉흥적인 결정이라면 be going to는 계획된 미래였습니다. 그리고 will과 be going to 둘 다 미래에 대한 예측을 나타내기도 합니다.

⑴ The weather will be cloudy tomorrow.
⑵ The weather is going to be cloudy tomorrow.

위 두 문장은 미래에 대한 예측을 나타내고

있습니다. 뭔가를 예측할 때, 두 문장 중 어느 쪽으로 표현해도 좋습니다. 다만 예문 (1)은 그냥 그럴 거 같다는 느낌이 더 강하고 예문 (2)는 어떤 근거에 의해서 그럴 것이라고 예측한다는 느낌이 듭니다. will이 즉흥적인 결정을 나타내는 미래의 표현이었던 것처럼, 예측을 할 때도 뭔가 느낌이 딱 와서 〈내일 흐릴 것 같다〉라고 할 때 사용이 됩니다. 반면 be going to는 계획된 미래를 나타냈는데 뭔가를 계획하려면 느낌보다는 근거가 중요합니다. 그래서 will과 달리 한 번의 느낌보다는 어떠한 근거를 가지고 〈내일 날씨는 흐리겠다〉라고 말하는 것이라면 be going to가 나오게 됩니다.

비슷비슷한 be going to 그리고 현재진행시제

will과 be going to의 차이점을 살펴보면서 미래시제를 둘러 봤습니다. 하지만 우리는 현재시제와 현재진행시제를 다루면서 이 둘도 미래를 표현할 수 있다는 점을 확인했었습니다. 기차가 출발하거나 도서관이 열리거나 영화가 시작되는 것처럼 일정한 스케줄에 따라 계속적으로 동작이 반복될 경우, 미래상황이긴 하지만 현재시제가 사용됐었죠. 그리고 현재진행시제는 계획된 미래를 나타낼 때 사용된다고 했었습니다. 그러니 be going to V와 현재진행시제 문장은 둘 다 계획한 미래를 나타내는 표현이 됩니다.

(1) I am going to visit my parents.

(2) I am visiting my parents.

두 문장은 다 부모님을 방문하기로 미리 계획을 했다는 뜻입니다. 다만 두 문장 사이에 미세한 차이가 있긴 합니다. 예문 (1)보다 (2)가 계획이 깨지지 않을 확률이 더 높습니다. 이를 테면 예문 (1)은 부모님께 방문하겠다고 마음을 먹고 그 계획을 말한 것이라면, (2)번은 마음을 먹고 약속한 후 KTX표까지 끊어 놓은 상태에서 말하는 내용입니다. 계획한 미래를 나타낼 때 be going to와 현재진행시제가 이렇게 미세한 차이가 있긴 하지만 반드시 엄격하게 구분해서 사용하는 것은 아니니 뉘앙스만 알아두셔도 좋습니다.

여기까지가 96%

지금까지 둘러 본 시제가 현재, 과거. 미래, 현재완료, 현재진행 이렇게 5가지나 됩니다. 이 다섯 가지가 spoken English에서는 압도적으로 많이 쓰인다고 했습니다. 빈도수로는 96%에 해당하는 내용들을 살펴보았으니, 지금까지 배운 내용들을 숙달만 해도 훌륭합니다. 그래서 5가지를 중점적으로 설명을 드리되 정리하는 김에 같이 알아두면 좋을 것도 덧붙여 드렸습니다.

과거시제를 설명할 때, 과거완료도 같이 설명을 해드리면 관련지어서 그리고 연결하여 익혀두기가 편합니다. 과거완료시제 자체가 과거시제 없이 사용될 수 없기에 세트로 묶어서 정리해 두어야겠습니다. 그리고 이제 미래시제를 다룬 김에 미리진행시제도 같이 살펴보도록 하겠습니다. 물론 빈도수가 높지 않긴 하지만 이미 현재진행시제에 대해 배우셨기에 개념 정도만 확인해 두셔도 좋습니다.

미래보다 더 확실한 미래진행

　　미래진행시제는 우선 형태가 will be Ving입니다. 미래시점에서 진행되고 있는 상황을 표현한다고 설명을 하는데 이게 감이 잘 와 닿지 않습니다. 예문으로 살펴보겠습니다.

⑴ I will watch TV at home.

⑵ I am going to watch TV at home.

⑶ I will be watching TV at home.

　　친구가 내일 저녁에 뭐 할 거냐고 묻는다고 가정을 해보겠습니다. 예문 ⑴은 계획이 없다가 질문을 듣고서야 생각해보니 별 일 없이 집에서 TV나 볼 것 같은 상황에서 말하는 문장입니다. 확신이 없기 때문에 문장 앞에다가 'I think'를 붙여주면 자연스럽게 어울립니다. 물론 will에다 강세를 두고 강하게 말한다면 꼭 TV를 보고야 말겠다는 의지를 드러낼 수도 있습니다. 예문 ⑵는 보고 싶은 드라마나 스포츠 경기가 있어서 보기로 마음을 미리 먹고 계획을 말하는 상황입니다. 여기까지는 미래시제를 정리하면서 이미 확인한 내용입니다.

예문 (3)이 미래진행시제 문장입니다. 미래시제에다가 진행이라는 상이 합쳐져 있습니다. 진행시제는 말 그대로 동작이 아직 끝나지 않고 진행 중인 상황이라 눈 앞에서 뭔가가 펼쳐지는 느낌이 듭니다. 묘사적입니다. 〈I will watch TV at home〉은 단순한 예측입니다. 미래에서 정말 TV를 볼 것인지는 가봐야 아는 것입니다. 반면 〈I will be watching TV at home〉은 미래 어느 한 시점에 TV를 보고 있을 거라고 눈 앞에 펼쳐 보이는 것입니다. 눈 앞에 펼쳐 보인다는 것은 단순한 미래시제보다 더 구체적이라는 뜻이 됩니다. 내일 별다른 이변이 없다면 〈난 집에서 TV 보고 있을 거야〉라고 얘기하는 것입니다. <u>미래시제보다 더 그 일이 일어날 확률이 높은 것이 미래진행시제입니다. 묘사를 할 수 있을 정도로 눈에 그릴 수 있다는 것은 더 구체적이라는 뜻이고 미래 영역에서 구체적으로 말한다는 것은 그것을 할 확률이 더 높다는 뜻이 되는 것입니다.</u>

저의 집에서 가장 가까운 지하철역은 금촌역입니다. 서울방향으로 가기 위해서는 경의중앙선을 이용해야 하는데 가끔씩 들어오는 서울역행 열차 안내 방송이 이렇게 나옵니다.

- The train for Seoul station will be arriving shortly.

여기서 왜 미래진행시제를 쓴 것일까요? 'will arrive'로 표현해도 틀리지는 않습니다. 다만 단순히 예측에 가까운 의미로 (아마도) '도착할거야' 라는 느낌만 전달합니다. 하지만 미래진행시제를 쓰면 열차가 들어오는 모습을 더 생생하게 묘사할 수 있습니다. 그러면서 열차가 들어오는 것은 거의 확실하다는 느낌도 전달합니다. 생생하게 확실하게 열차가 들어오는 모습을 알려야 사람들이 안전선 밖으로 물러서면서 탈 준비를 하지 않을까요?

여담이지만, 2호선이 주로 지하로 다니는 경우가 많은데 비해 경의중앙선은 지상으로 다니는 경우가 더 많아 보입니다. 물론 그냥 제 느낌입니다.

그러다 보니 멀리서도 열차가 들어오는 모습을 볼 수 쉽게 볼 수 있죠. 확실히 경의중앙선이 2호선에 비해 미래진행시제를 사용하기에 더 적절해 보입니다. 멀리 서도 열차가 들어오는 것을 묘사하려면 진행시제가 필요하기 때문이겠죠. 'will be arriving'을 들었을 때 열차가 곧 들어오는 생생한 장면을 머리 속에서 그려 보시면 좋겠습니다.

Quiz 정답 (62p)

I will see a movie this weekend.

확실하지는 않으나 이번 주말에 영화 한 편을
보겠다고 말하는 내용입니다. 특별한 계획이 없었는데
친구가 물으니 잠깐 생각해보고 가볍게 답하는
상황입니다. I think를 앞에 붙여 놓고 얘기하면 더
느낌이 삽니다. 한편 will을 세게 강조해서 말한다면
꼭 영화를 보겠다는 의지를 드러낼 수도 있습니다.

I am going to see a movie this week.

앞으로 뭔가를 하겠다고 계획한 내용은 be going
to에 담아서 말할 수 있습니다. 이 말을 하기 전에
이미 이번 주말에 영화를 보겠다고 마음을 먹은
상황입니다.

I am seeing a movie this weekend.

앞 문장과 유사합니다. 미세한 차이가 있다면 앞
문장보다 더 확실합니다. 이 계획이 틀어질 확률이
적습니다. 이를테면 영화를 보기로 했고 미리 예매도
한 상황으로 볼 수 있습니다.

Summary

- 미래를 나타내는 방법은 4가지가 있다.

  1)will 2)be going to 3)현재진행시제 4)현재시제

- 이 중에서 will은 즉흥적인 결심, be going to는

  계획된 미래를 표현한다.

- 현재진행시제가 미래를 나타낼 때는

  be going to와 유사하지만 좀 더 확고한

  상황에 사용된다.

- 미래진행시제는 생생한 느낌을 전해주면서

  미래보다 더 확실한 미래를 나타내는시제다.

Practice

wil이나 be going to를 사용하여 다음 문장을 영어로 써보고 말해보세요.

⑴ 저는 내년에 미국을 방문할 예정입니다.

⑵ 너 다음 달에 이사가? (확정적)

⑶ 제가 전화 받겠습니다.

⑷ 내일 비 올 거 같은데. (느낌적으로)

⑸ 부산행 열차가 곧 도착합니다. (생생하게)

Practice 정답

(1) I am going to visit America next year.

(2) Are you moving next month?

(3) I will answer (get) the phone.

(4) (I think) it will rain tomorrow.

(5) The train for Busan will be arriving shortly.

현재완료진행

&

나머지

기본과 현재

지금까지 시간을 나타내는 12가지 동사 형태 중에서 빈도수가 높았던 현재, 과거, 미래 3가지 기본 시제에다 현재진행, 현재완료까지 합쳐서 5가지 주요시제들을 다 살펴보았습니다. 표를 보면서 확인해 보겠습니다.

주요시제	과거	현재	미래
기본	●	●	●
진행		●	
완료		●	
완료진행			

여기에다가 과거시제를 설명하면서 과거완료를, 미래표현을 다루면서 미래진행시제까지 정리를 했습니다. 표를 잘 들여다보시면 기본시제 3가지와 현재와 관련이 되어있는 현재진행, 현재완료시제가 중요하다는 점을 확인할 수 있습니다. 처음에 목표한대로 빈도수가 높은 시제들을 다 둘러보았으니 지금부터는

보너스로 생각하셔도 좋습니다.

현재완료와 현재완료진행

현재와 관련된 시제는 다 중요하다고 했는데 현재
완료진행은 아직 다루지 않았습니다. 현재완료진행은
현재완료와 진행시제가 합쳐진 것으로 형태는 have
been Ving입니다.

- I have worked here for 10 years.
- I have been working here for 10 years.

위 예문에서 두 번째 문장이 현재 완료진행시제가
사용된 경우입니다. 두 문장 즉, 현재완료와 현재완료
진행은 어떠한 차이가 있을까요? 결론부터 말씀드리
자면 두 문장은 큰 차이가 없습니다. 더 정확히
얘기하자면 일상 생활과 밀접한 동사 work, live,
study가 사용된 문장에서는 두 시제의 차이가 거의
없다고 봐도 무방합니다. 현재완료가 '해왔다'로
해석될 경우, 10년간 여기서 일해왔다라는 의미를 전

달한다는 것은 잘 알고 있는 내용입니다. <u>현재완료진</u>
<u>행은 거기에다가 지금도 일하고 있는 중이다라는</u>
<u>느낌만 더해 주는 정도입니다.</u> 기본적으로는 그렇습니
다. 이렇듯 현재완료시제 중 '해왔다'의 용법은 이렇게
현재완료진행과 내용이 겹칩니다. 비슷한 내용인데 그
렇다면 왜 굳이 현재완료진행시제가 존재하는 것일까
요? 아래 두 예문을 살펴보도록 하겠습니다.

- I have known him for 10 years.
- I have been knowing him for 10 years. (X)

두 문장이 이번에도 차이가 없는 것일까요? 첫
번째 문장은 10년 동안 그 사람을 알아왔다라는
의미입니다. 그런데 두 번째 문장은 지금도 그 사람을
알고 있음을 강조하기 위해 쓰는 문장이 아닙니다. 두
번째 예문은 문법적으로 틀린 문장입니다.

진행시제로 쓸 수 없는 상태동사

영어 동사는 말 그대로 동작을 나타내는 품사이긴

하지만 상태를 나타내기도 합니다. understand(이해하다), believe(믿다), like(좋아하다), have(소유하다)등의 동사들을 예로 들 수 있습니다. 그래서 이런 동사들을 상태동사라고 부릅니다. 동작이 아닌 상태를 나타내는 동사들이니 눈에 보이는 움직임이 그려지질 않습니다. 그렇기 때문에 이러한 <u>상태동사들은 눈에 보이도록 그려주면서 묘사하는 성격을 지닌 진행시제와는 어울리지 않는다는 특징이 있습니다</u>.

- I have a car.
- I am having a car. (X)

〈나는 차를 한 대 가지고 있다〉라는 말은 동작이 아니라 상태입니다. 상태동사는 진행시제와 어울리지 않으므로 두 번째 예문은 비문입니다. 우리말로도 〈나는 차를 한 대 가지고 있는 중이다〉는 어색합니다. 마찬가지로 현재완료진행시제도 진행시제와 어울리지 않습니다.

– I have had this car for 7 years.

– I have been having this car for 7 years. (X)

〈난 이 차를 7년째 가지고 있지〉라고 말하고 싶다면 현재완료시제로 표현해야 합니다. 반복해서 설명을 드리지만, 동작이 아닌 상태를 진행으로 나타낼 수 없기 때문입니다.

지금까지의 내용을 정리해보면, 과거 어느 시점부터 지금까지 계속 이어져온 상황을 나타낼 때, 현재완료나 현재완료진행 둘 중 어느 시제든 다 사용할 수 있고, 다만 현재완료진행은 지금까지도 그 동작을 하고 있다는 생생한 느낌을 강조해서 전달할 수 있습니다. 그러나 상태동사의 경우 진행시제로 표현이 안되기에 현재완료로만 나타낼 수 있다는 것입니다. 이렇게 정리해두면 큰 맥락에서 어느 정도 현재완료진행시제를 이해하신 것입니다. 하지만 여기서 마무리하기엔 뭔가 좀 아쉽기도 합니다. 그래서 한 가지만 더 덧붙여 보겠습니다.

수량 = 결과 vs 기간 = 과정

내용이 겹치긴 하지만 현재완료시제(해왔다)와 현재완료진행은 강조점이 확연히 다르긴 합니다.

- I have learned English since 2020.
- I have been leaning English since 2020.

두 문장 다 2020년부터 영어를 배워왔다라는 내용은 같지만, 현재완료시제는 '영어를 2020년부터 배워왔으니 3년째가 되었다'(2023년기준)라는 느낌을 전해줍니다. 지금 영어를 배우고 있느냐는 중요하지 않고, 2020년부터 배웠다는 그 '결과'에 초점이 있습니다. 반면 현재완료진행시제는 '2020년부터 지금까지도 영어배우는 것을 이어오고 있다'는 느낌입니다. 현재완료가 결과에 초점이 있다면 현재완료진행은 이어져 온 '과정'에 초점을 두고 있습니다.

결과라는 것은 수치로 정확하게 드러나야 확인하기가 편합니다. 결과에 초점을 둔 현재완료는 그래서 수와 양을 묻는 How many? How much?로 시작하는 질문과 답변에 잘 어울립니다. 그리고 과정이라는 것은 수나 양보다는 기간이라는 개념과 잘 부합됩니다. 2년 과정, 3개월 과정이라는 말만 들어도 과정은 기간과 관련이 있어 보입니다. 그러니 과정에 초점을 둔 현재완료진행은 얼마나 오래 이어져 왔는지 그 기간을 나타내는 How long?으로 시작하는 질문 및 답변과 잘 어울리게 됩니다.

- How many books have you read?
  I've read 10 books.
- How long have you been reading books?
  I've been reading books for 2 hours.

첫 번째 예문에서 몇 권의 책을 읽었냐고 묻고 있습니다. 뒤에 so far정도가 붙어있어도 좋습니다. 즉, 이 질문은 단순히 과거 어느 한 시점에 책 몇 권을 읽었는지를 묻는 것이 아니라 과거 어느 한 시점부터 지금까지 기간을 설정해두고 그 기간 동안 몇 권의 책을 '결과적으로' 읽어낸 것인지 묻고 있습니다. 이에 대해 10권이라는 '수치'로 답을 합니다. 반면 두 번째 예문은 얼마나 오래 책을 읽어오고 있는지 '시간의 길이'를 묻고 있습니다. 책 몇 권인지 결과에 초점을 두기보단 얼마나 오래 읽어왔는지 '과정'에 집중합니다. 물론 2시간 동안이라는 수치도 결과를 드러내는 답변이 아닌가 생각해 볼 수 있겠지만, 얼마나 오래 지금까지도 책 읽는 행동을 하고 있는지 묻는 것이기에 과정에 집중하고 있다고 생각하시는 것이 맞습니다. 현재완료는 수량=결과에, 현재완료진행은 기간=과정에 초점을 두고 있다는 내용이 둘 사이를 구분하는 핵심이 됩니다. 과정이냐 결과냐가 쉽게 판단이 되지 않을 수도 있습니다. 그럴 때는 지금도 하고 있는 동작인가 아닌가를 살펴보시면 도움이 됩니다.

- 저는 축구를 해 온지 20년 됐습니다.
- 저는 20분째 축구를 하고 있습니다.

첫 번째 문장을 보면, 자신의 축구 경력을 말하고 있다는 느낌이 듭니다. 말하는 순간 축구를 하고 있다기보다는 축구 경력이 20년이 되었다는 결과를 드러내려고 합니다. 20년이라는 시간을 과정으로 이해할 수도 있지만, 두 번째 문장과 비교를 해보면 운동을 계속 해왔고 그 결과물은 20분보다는 20년이라는 세월이 더 어울립니다. 두 번째 문장은 어떤가요? 지금 운동장에서 몇 분째 뛰고 있는 거냐는 질문에 숨을 헐떡이면서 20분이 되었다고 말하는 느낌입니다. 앞으로 더 뛸지는 모르겠지만 지금도 뛰고 있다는 생생한 느낌을 전달하면서 20분째 그렇게 해오고 있다는 과정에 초점을 두고 있습니다. 긴 시간을 두고 해왔다면 결과, 비교적 짧은 기간 지금도 하고 있는 것이라면 과정, 이렇게 구분을 해보셔도 좋습니다. 그렇다면 아래처럼 영어문장으로 바꿔볼 수 있겠습니다.

- I have played soccer for 20 years.
- I have been playing soccer for 20 minutes.

현재완료진행은 현재완료와 비교해봤을 때, 이렇게 차이가 나는 듯 하면서도 처음에 설명을 드렸던 것처럼 비슷하기도 합니다. 그래서 좀 알쏭달

쏭한 면이 있긴 합니다. 다만 이러한 점들을 아주 엄격하게 구분해서 사용하지는 않으니 우선은 책의 순서에 따라 이해하시면 좋겠습니다. 그리고 이런 세밀한 내용의 구분은 사실 감각이 중요한데, 내용을 한번에 이해했다고 끝이 아니라 다양한 맥락과 상황에서 여러 차례 실제 쓰임을 많이 경험해 봐야 합니다. 그러면서 감각이라는 것이 생기게 됩니다.

현재완료진행까지 마무리 했으니 다시 표를 가져와 보겠습니다.

3개추가	과거	현재	미래
기본	●	●	●
진행		●	◐
완료	◐	●	
완료진행		◐	

빈도수가 높았던 5가지 주요시제(●표시)와 같이 곁들여서 정리해두면 좋은 시제(◐표시) 3가지를

더해서 총 8가지 시제를 살펴보았습니다. 이제 남아있는 시제는 과거진행, 미래완료, 과거완료진행 그리고 미래완료진행시제입니다. 현재와 관련된 시제를 잘 이해했다면 개념이 같고 기준 시점만 차이가 나기 때문에 어렵지 않게 이해할 수 있다고 말씀을 드렸습니다. 나머지 시제들은 가볍게 짚고 넘어가면 될 것 같습니다.

나머지 시제들

나머지 시제들 중에서 그나마 과거진행시제가 한 번쯤은 써봤던 시제이긴 할 것 같습니다. 현재진행시제가 지금 하고 있는 동작을 나타냈다면, 기준시점만 과거로 옮겨서 과거에 진행 중인 동작을 나타냅니다.

- He was talking on the phone with his girlfriend.
- He was always talking on the phone with his girlfriend.

과거시제가 동작이 종결된 행동을 나타낸 반면 진행시제는 아직 끝나지 않고 진행 중인 것을 나타내니 첫 번째 예문은 전화 통화가 끝난 것이 아닌 통화를 하고 있었다는 뜻을 전하면서 뭔가 그림이 그려지는 느낌이 듭니다. 진행시제의 특징입니다. 여기서 두 번째 예문처럼 always를 하나 넣어 보면 어떨까요? 맞습니다. 짜증과 불평을 드러냅니다. 현재진행시제를 다뤘을 때 배웠던 내용이 역시 그대로 적용이 됩니다. 그래서 어렵지 않다는 것이었습니다. 〈걔는 맨날 여친이랑 통화질이었지〉 이런 느낌입니다.

미래완료시제는 미래의 어느 한 시점을 기준점으로 잡고 그 시점 이전에 시작한 행동이나 상황이 기준점까지 계속 이어져 올 경우, 몇 번 해보게 될 경우, 아니면 한 번 할 것이 기준점에 영향을 미칠 경우에 사용됩니다. 설명이 복잡합니다. 근데 이 설명은 현재완료시제를 다룰 때도 해드렸던 설명이기도 합니다. 기준점이 지금 시점인 것 빼고는 내용이 동일합니다. 하지만 현재완료시제가 3가지 해석으로 다양하게 쓰이는 반면 미래완료시제는 한 번 할 행동이 미래 기준시점에 영향을 미칠 경우에만 사용되는 경우가 많고, 그리고 이 또한 빈도수도 현저히 떨어지긴 합니다. 미래완료시제를 우리말로 ~해왔을 것이다라고 해석하는 것이 그 내용을 명료하게 해주는데 도움을 주지는 않는 것 같습니다. 미래시제 와 비교하면서 이해하는 편이 더 좋습니다.

- I will finish my homework by 3 o'clock.
- I will have finished my homework by 3 o'clock.

위의 문장을 끝낼 것이다, 아래 문장을 끝냈을 것이다라고 해석하면서 끝내려고 한다면 시제공부가 어렵게만 느껴질 것 같습니다. 첫 번째 문장은 3시까지는 숙제를 끝낼 것이라고 예측 내지 의지를 보인 문장이라면 두 번째 문장은 해석의 차이가 있다기 보다 3시라는 미래시점을 잡아놓고 그때까지 숙제를 끝내놓은 상태가 될 것이라고 역시 예측 내지 의지를 보인 문장인데 차이점은 그렇게 끝내놓고 나면 3시에는 다른 것을 할 수 있다거나 후련할 것 같다거나 하는 느낌을 전해주는 문장입니다. 물론 문맥이나 상황이 주어지면 미래시제로도 그런 의미를 전달할 수 있기에 실제 사용빈도가 떨어진다고 보면 될 것 같습니다.

이제 과거완료진행과 미래완료진행시제 2개만 남았습니다. 좀 전에 미래완료시제를 설명할 때 미래완료시제는 현재완료시제와 달리 3가지 해석으로 다양하게 쓰이기보단 한 번 할 행동이 미래 기준점에 영향을 미칠 경우로만 잘 쓰인다고 했는데, 3가지 해석 중에 계속 이어져 올 경우는 미래완료진행을 사용한다고 보시면 됩니다. 마찬가지로 과거완료진행은 과거 기준점을 잡아두고, 그 이전에 시작했던 행동이 과거 기준점까지 이어져 왔던 동작을 나타내는 시제입니다. 역시나 설명이 어렵게 느껴질 수 있습니다. 예문을 보면서 이해해 보겠습니다.

- I had been doing the dishes for 30 minutes
    before my wife came home.
- I will have been sleeping for 9 hours
    by the time Sue gets home.

첫 번째 문장이 과거완료진행시제 문장입니다.

before my wife came home이라는 과거 기준 점을 잡아놓고 그 이전부터 그 때까지 이어진 동작을 나타냅니다. 〈아내가 집에 오기 전에 나는 30분째 설거지를 하고 있었다〉라는 의미입니다. 보통 과거완료진행시제 우리말 해석을 '~을 해오고 있었다'로 하는데 사실 우리가 이런 식으로 말하진 않습니다. 오히려 '~을 하고 있었다'로 말하는 것이 자연스럽습니다. 과거진행시제와 우리말 해석이 같아서 혼동될 것 같지만 과거완료진행시제가 어느 상황에서 사용되는지를 잘 이해하면 우리말 해석 하나 하나에 얽매이지 않아도 됩니다. 두 번째 문장이 동사 덩어리가 가장 길면서 빈도수는 가장 낮은 미래완료진행시제 문장입니다. by the time Sue gets home이라는 미래 기준 점을 잡아놓고 그 이전부터 그 때까지 이어진 동작을 나타냅니다. 〈Sue가 집에 도착할 때 즈음이면 나는 9시간 동안 잠을 자게 되는 셈이다〉라는 의미입니다. by the time(~을 할 때 즈음)은 미래완료진행시제와 잘 어울리는 접속사이기도 합니다.

이렇게 해서 드디어 동사 시제 12가지 형태를

다 끝마쳤습니다. 정리된 표는 아래와 같습니다.

12시제	과거	현재	미래
기본	●	●	●
진행	○	●	◐
완료	◐	●	○
완료진행	○	◐	○

　　마지막에 다뤄본 4가지 시제(○표시)는 과거 진행시제를 제외하곤 빈도수가 현저히 떨어지는 시제였습니다. 개념 정도만 이해하셔도 충분하다고 생각합니다. 시제를 공부하실 때, 12가지 모든 시제들을 완벽하게 다 소화하겠다는 마음보다는 지금까지 읽어오셨던 것처럼 전략적으로 그리고 단계별로 접근해 나가시길 제안해드립니다. 처음에는 주요시제 5가지를 먼저 학습해보시고, 그 다음엔 같이 곁들이면 좋은 시제 3가지 그리고 마지막엔 나머지 4가지 순서로 이른바 5-3-4 전략입니다.

주요 5가지(●)

▼

곁가지 3가지(◑)

▼

나머지 4가지(○)】

　　　이런 식으로 정리해 나가신다면 좀 더 효율적인
시제학습이 되지 않을까 생각해봅니다. 지금까지 유독
어렵다는　영어　시제만　정리를　해드렸습니다.
읽어오시느라　대단히　수고　많으셨습니다.　도움이
되었기를 바라봅니다.

Summary

- 현재완료진행시제는 현재완료(해왔다)시제와
  내용적으로 유사하다.

- 상태동사는 진행시제로 사용할 수 없다.

- 현재완료진행시제는 지금도 하고 있다는
  생생함을 전달해준다.

- 현재완료시제는 수량과 결과에 초점을 두고 있는
  반면 현재완료진행시제는 기간과 과정에 초점을
  두고 있다.

Final Check-up

다음 영어 질문에 영어로 자신만의 문장을 만들어
답해 보세요.

1. What do you usually do when you are free?

2. What did you do last weekend?

3. Where are you going to visit at the end of this year?

4. How long have you lived in your house?

5. Why are you learning English?

닫는 글

영어 강의를 시작한 해가 2003년이었습니다. 그 당시는 뭐 하나 갖춰 놓은 것이 없던 시절이라 강의를 해보려고 여러 군데 지원을 해도 받아주는 곳이 거의 없었습니다. 어쩌다 면접이나 시강 기회가 오더라도 최종 합격까지 연결되진 못했습니다. 그러다가 2003년 1월이 되어서야 기회가 찾아왔습니다. 동네에 조그마한 보습학원이었고 파트 타임으로 초등학생들을 상대하는 수업이었습니다. 20년 전에 저는 그렇게 영어 강의를 시작했습니다.

이 책을 마무리하려고 하니 문득 지금까지 강의를 들어주신 모든 수강생 분들에게 고마운 생각이 듭니다. 강의는 혼자서 한다고 할 수 있는 것이 아니고, 강의를 들어주는 누군가가 있어야 가능하기 때문입니다. 대한민국처럼 영어교육에 관심이 많은 곳이 또 있나 싶습니다. 수요가 많으니 공급도 많을 수 밖에 없습니다. 그러니 사교육시장에서 영어를 가르치는 일이 대단히 특별한 일은 아닙니다. 공급자가 많다는 측면에서 그렇습니다. 돌이켜보니 20년간 한 해도 놓치지 않고, 강의를 할 수 있었던 것은 아니었습니다. 힘들고 어려웠던 시간들도 있었습니다. 여러 가지 이유로 강의를 쉬거나 못 하게 된 상황이 있었습니다. 그래서 그런지 지금 영어 강의를 하고 있다는 사실이 당연하게 여겨지지 않고 굉장히 고마운 일이라는 것을 새삼 깨닫게 됩니다. 수강생 분들에게 고마운 마음이 드는 동시에 그 동안 이 업종에서 살아남은 제 스스로에게도 박수를 보내주고 싶습니다. 대단한 성과나 특별한 업적을 만들어내지 못했더라도 지금까지 버텨온 것 자체가 대단한 거라고 여기고 싶습니다. 10년도 아닌 20년이니깐요...

Youtube가 대중화되면서 저 보다 뛰어난 영어 선생님들을 영상 속에서 자주 접하게 되니 위축이 되기도 했습니다. 게다가 Chat GPT까지 나오게 되면서 영어 강사로서 경쟁력을 어디에서 찾아야 할지 고민이 많이 되기도 했습니다. 일타강사도 월천강사도 아닌 저에게는 더더욱 그랬던 것 같습니다. 그런데 20년 전에도 비슷한 심정이었던 것 같습니다. 영어를 전공하지도 않았고, 그 흔한 어학연수조차 경험해본 적 없었고, 그렇다고 TOEIC 점수를 받아 놓은 것도 없었습니다. 대신 제가 특별히 잘할 수 있는 것이 무엇인지 둘러보고 작은 것이라도 시도해볼 수 있는 것부터 문을 두드렸던 것 같습니다. 그리고 그런 심정으로 이 책을 썼습니다. 작은 책이지만 제가 지금 해볼 수 있는 것을 담아보려고 노력했습니다. 시제는 저에게 애착과 고민이 많았던 분야라서 이 부분만큼은 꼭 정리해서 공유하고 싶은 마음이 있었던 것 같습니다. 처음 해보는 책 만들기라 완벽할 수는 없지만 책을 만드는 작업 처음부터 끝까지 제 스스로 직접 다 해서 만들었다는 점에 의미를 부여하고 싶습니다.

항상 저를 응원해주고 디자인 작업에 도움을 준 저의 아내 쑤쌤과 저 멀리 호주에서도 책 제목 짓기에 아이디어를 준 Gilly에게도 고마운 마음을 전합니다. 마지막으로 이 모든 여건과 환경을 허락해주신 하나님께 감사합니다.

영어 배운다
영어 배웠다
영어 배울거다
영어 배워 왔다
영어 배우고 있다
······